數位世界的孩子 4

為什麼我要善用社群媒體？

文｜班・赫柏德 Ben Hubbard

圖｜迪亞哥・瓦斯柏格 Diego Vaisberg

譯｜洪翠薇

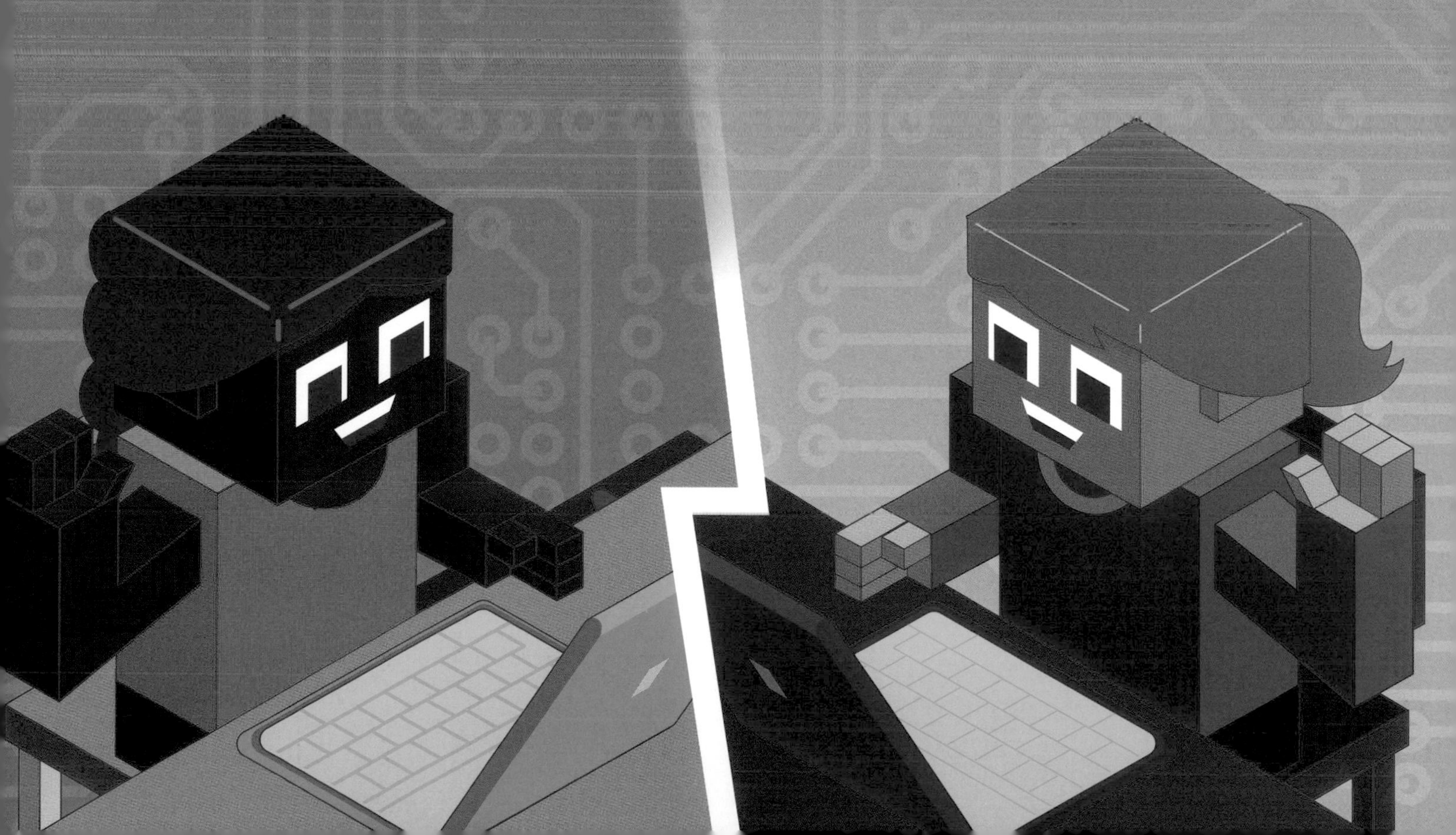

Digital Citizens Series : My Digital Community and Media

Author: Ben Hubbard
Illustrator: Diego Vaisberg
Packaged by: Collaborate

Franklin Watts
First published in Great Britain in 2018 by
The Watts Publishing Group

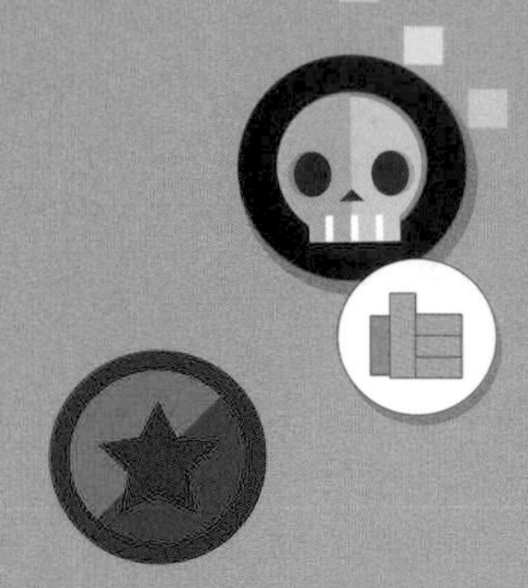

Franklin Watts
An imprint of Hachette Children's Group
Part of The Watts Publishing Group
Carmelite House
50 Victoria Embankment
London EC4Y 0DZ

An Hachette UK Company
www.hachette.co.uk
www.franklinwatts.co.uk

少年知識家

數位世界的孩子4

為什麼我要善用社群媒體？

作者｜班．赫柏德 Ben Hubbard　繪者｜迪亞哥．瓦斯柏格 Diego Vaisberg　譯者｜洪翠薇

責任編輯｜張玉蓉　特約編輯｜洪翠薇　美術設計｜蕭雅慧　行銷企劃｜陳雅婷
發行人｜殷允芃　創辦人兼執行長｜何琦瑜　總經理｜王玉鳳
總監｜張文婷　副總監｜林欣靜　版權專員｜何晨瑋

出版者｜親子天下股份有限公司　地址｜台北市 104 建國北路一段 96 號 11 樓
電話｜（02）2509-2800　傳真｜（02）2509-2462　網址｜www.parenting.com.tw
讀者服務專線｜（02）2662-0332　週一～週五：09:00~17:30
傳真｜（02）2662-6048　客服信箱｜bill@service.cw.com.tw
法律顧問｜瀛睿兩岸暨創新顧問公司
印刷製版｜中原造像股份有限公司　裝訂廠｜中原造像股份有限公司
總經銷｜大和圖書有限公司　電話：（02）8990-2588

出版日期｜2019 年 4 月第一版第一次印行

定價｜300 元　書號｜BKKKC118P　ISBN｜978-957-503-387-3（精裝）

訂購服務

親子天下 Shopping｜shopping.parenting.com.tw
海外．大量訂購｜parenting@service.cw.com.tw
書香花園｜台北市建國北路二段 6 巷 11 號　電話（02）2506-1635
劃撥帳號｜50331356　親子天下股份有限公司

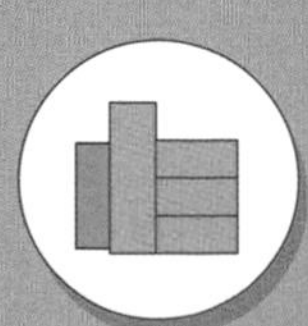

目錄

什麼是「數位公民」

當我們上網時，就進入了浩瀚的網路世界。

我們可以用手機、電腦和平板電腦來上網，
可以在線上探索與發揮創意，還可以和數十億個人交流、溝通。
這樣就形成了「數位社群」，而上網的每個人都是「數位公民」。
所以，當你在上網時，你就是個數位公民。
這是什麼意思呢？

公民與數位公民比一比

好的公民奉公守法，懂得照顧自己和其他人，並且努力讓社會更好。而好的數位公民也一樣。然而，網路世界比城市、國家要大得多，它跨越國界，延伸到全世界。因此，世界各地的數位公民，都有責任讓數位社群成為對每個人都安全、好玩的地方。

什麼是「數位社群」

全球數位社群是由小網絡、小團體組成的巨大網絡，裡面的成員用社群媒體、討論區、社團網站或遊戲網站互相聯繫。然而，聰明的數位公民能靈活面對網路社交，享受網路社群所帶來的樂趣。

與人交際

如何在網路上和別人建立關係？

你喜歡用社群網站還是玩遊戲？
你有特定的嗜好，或是愛上討論區和聊天室打字聊天嗎？
也許這些你都不太清楚。別擔心，來看看下面的說明吧！

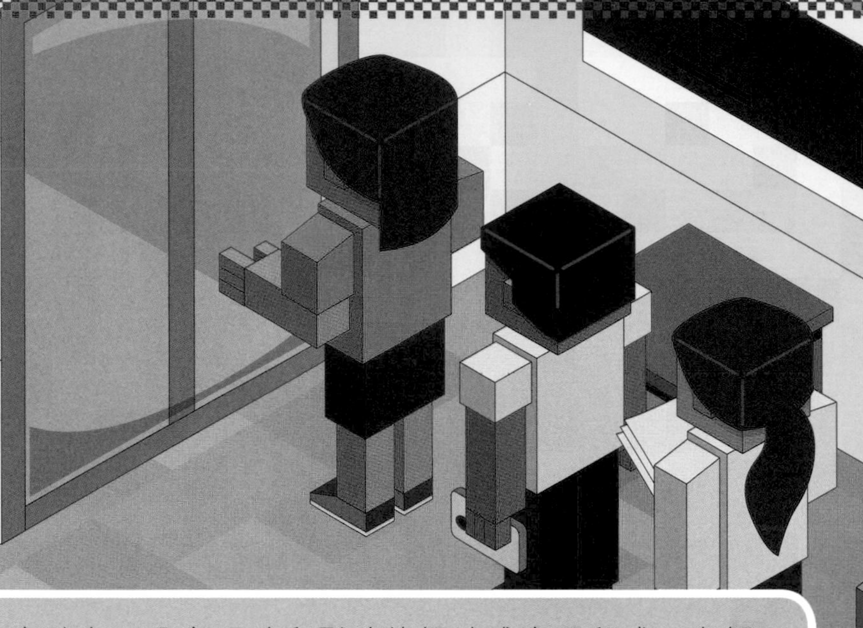

社群網站

「社群網站」是讓大家貼文、分享照片和影片的網站或應用程式，它們通常是免費的，不過使用者得先註冊、登入後才能使用。許多人在社群網站上和親朋好友交流、互動，也可以在上面認識新朋友。

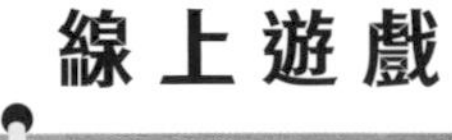

線上遊戲

線上遊戲就是在網路上玩遊戲，通常是和多位玩家比賽。玩家和來自世界各地的人比賽，而且能透過傳送訊息，或用耳機即時聊天來彼此互動。經常有一大群人因為一個熱門的遊戲形成一個緊密的社群。

討論區

「網路討論區」是讓大家在網路上用文字對談的網站。討論區通常有不同類別的主題，也就是所謂的「討論串」。和聊天室不同的是，討論區的互動不一定是即時的；而聊天室則是在登入後，就能立刻和線上的人聊天。

群媒體
成員
玩家
線上集合
請問一下，這裡是在排「十一歲的聊天室」嗎？
不是耶，我們是在排「給七歲的超級英雄社團」喔！

社團網站

「社團網站」是為了特定興趣的人所創立，主題從手工藝、賞鳥到製作迷你模型都有。通常，社團網站有自己的討論區或聊天室，也提供相關網站的連結。

你知道世界上有好幾億個兒童，擁有社群網站的帳號嗎？

許多社群網站是專為小孩設計的，不過小孩常常也能加入大人的社群網站。
有些網站會要求十三歲以上才能加入，但也有一些網站沒有年齡限制。
那該怎麼知道自己是否符合年齡限制，又要如何在社群網站的世界裡保護自己呢？

你在做什麼？
在開社群網站的帳號。
我也可以開帳號嗎？
抱歉，你還太小，
不能上這個網站。

與信任的人談談

在加入大人的社群網站前，最好先和你信任的大人討論。如果對方認為你的年紀太小，不應該上某個網站，那麼他能幫你找到一個更適合的網站。在網站上，把你信任的大人加成「朋友」，這樣他就能在使用的過程中幫助你。

隱私設定

在你和信任的大人討論好該用哪個社群網站後，可以請他幫你做隱私設定，這個設定決定了誰能看到你的貼文、部落格、影片和照片，而最好的做法是選擇「僅限朋友」的隱私設定。記得要常常檢查隱私設定，因為網站有時候會調整條款。

張貼前先停一下

就算你的隱私設定是「僅限朋友」，其他人可能還是會看到你在社群網站上張貼的東西，因此千萬不要張貼任何會讓你或認識的人覺得苦惱或丟臉的資訊，包括開玩笑的照片，或可能傷害某個人的評語。在張貼之前先停下來思考一下，能預防自己上傳可能會讓你後悔的東西。

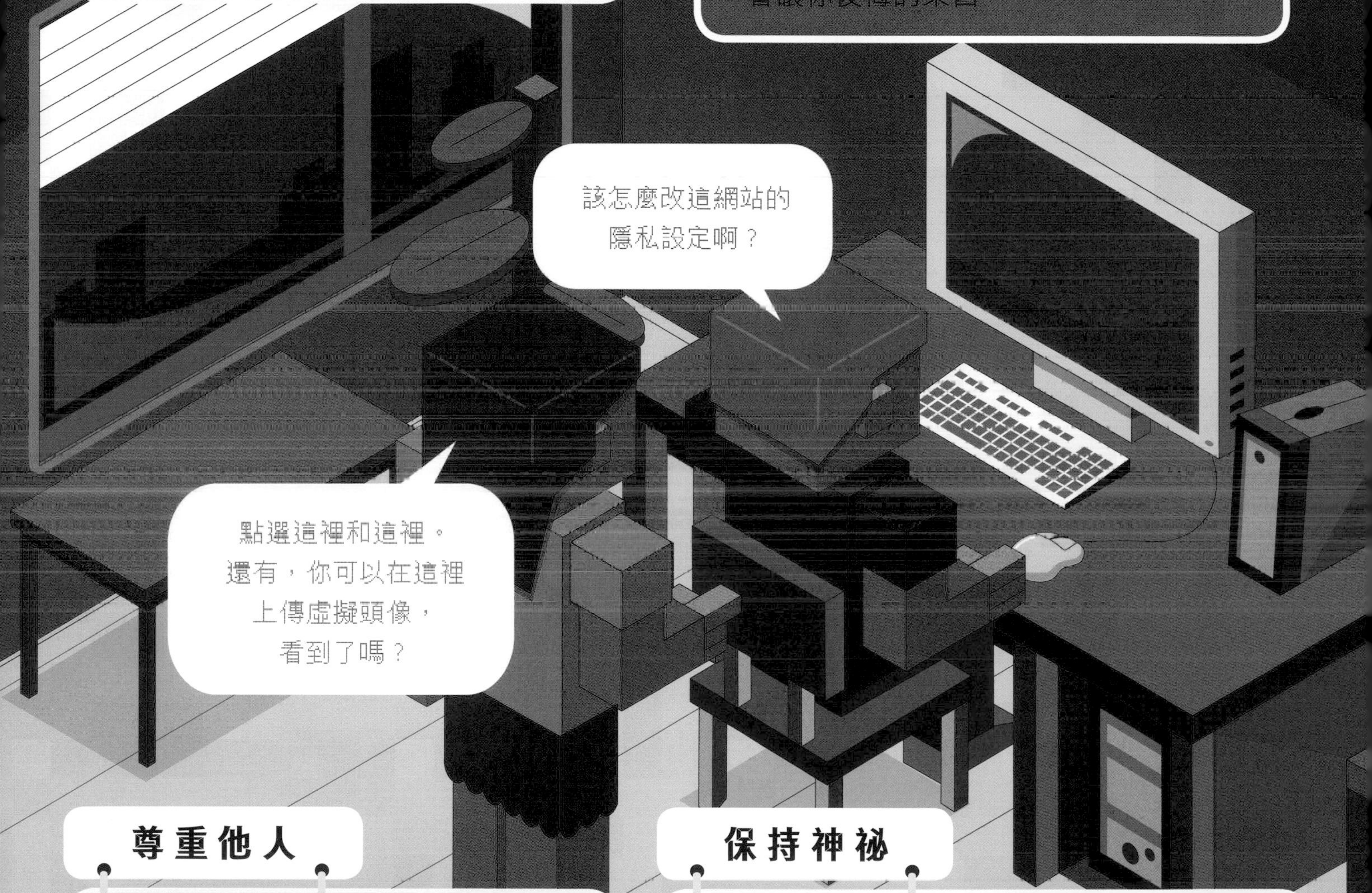

該怎麼改這網站的隱私設定啊？
點選這裡和這裡。還有，你可以在這裡上傳虛擬頭像，看到了嗎？

尊重他人

好的數位公民在社群網站上總是尊重他人，也會友善、體貼和禮貌待人。如果有人不是這樣對待你，你可以在帳戶上封鎖對方。

保持神祕

切記不要張貼任何會洩露你或朋友個人資料的東西，包括姓名、地址和電話號碼等。你也可以在帳號上使用化名和不同的虛擬頭像，來保護你的真實身分。

遊戲群組

線上遊戲網站是刺激好玩的地方，
能在上面和來自世界各地的人一起享受電玩的樂趣。

不過，遊戲網站不只是遊玩的地方，你也能在上面跟喜歡同一款遊戲的人互動。
正因如此，線上遊戲是網路上其中一個最大的人際關係網；
所以在打線上遊戲時，一定要懂得保護自己的安全。

這太棒了，就像是另一個世界！
每週都會有同一批人上來這裡玩。

挑選適合的遊戲同樂

線上遊戲並不全都是生存遊戲或冒險遊戲，還有運動、戰略、健身和家庭遊戲，這些都需要不同的遊戲技巧。在網路上搜尋看看，找出可以和信任的大人，或其他家人一起玩的遊戲吧！

封鎖惡霸

霸凌會在真實生活中發生，也可能會在遊戲裡發生。可能會有其他玩家傳惡意訊息，甚至威脅你。「擾人行為」也是一種霸凌，指的是其他玩家騷擾你，或摧毀你在線上遊戲裡建造的東西。面對這種霸凌，最簡單的方法就是封鎖對方，或是更改遊戲設定，只讓認識的人和你一起玩。

他想做什麼？

他說他有一本關於線上遊戲的書可以寄給我。

你不知道他是誰，最好不要相信他。

個人隱私和網路獵手

遊戲網站會要求玩家取化名、使用虛擬頭像，以保護玩家的真實身分。此外，絕對不要提供你的個人資訊或所在地點。有時候，網路獵手可能會用線上遊戲來吸引小孩。如果有人對你特別好、問很多問題，還說要給你免費的東西，最好不要相信他。要是他堅持的話，就把他封鎖。

找到同好的社團網站

你是否曾經覺得，自己像是全世界唯一喜歡某個玩具、某本書或某部電影的人呢？

在網路的世界裡，你一定能找到同好！
網路是讓擁有特定嗜好、話題和興趣的人相聚的好地方，
也能讓其他訪客產生興趣。這是什麼意思呢？

選擇合適的社團網站

網路上有許多網站，專門探討某個主題、嗜好或興趣，內容包羅萬象，從軌道賽車到八〇年代的街機遊戲都有。像這樣的網站，可能會由一個專門研究這個主題的團體來經營，這種團體叫做「社團」或「聯盟」。要成為社團成員通常很簡單，但別忘了加入前要先和信任的大人討論。

謹慎提供自己的email

社團網站通常會用發送電子報的方式和會員保持聯絡。有時候，收到這些電子報很好，但他們也可能會寄太多垃圾郵件給你，或是將你的email提供給別人。因此，除非你很清楚對方會如何使用你的email，否則不要輕易提供。

小心你的帳單

如果不多加留意，很容易就會在社團網站上花錢買相關的東西。在同意購買任何東西前，一定要先問問你信任的大人，經過他的同意。要避免衝動購物，最簡單的方式就是不要在網站上填寫任何帳戶資料，或是同意任何可能要花錢的要求。

網路禮儀

要當個好的數位公民，就表示在網路上對待別人的方式，要和真實生活中一樣。

不過有時候，要在網路上表達意思可能很困難，很容易就會不小心發生誤會，所以在網路上，得更加努力表達出善意和禮貌。這是什麼意思呢？

你說什麼？
今天，我們要在遊戲裡把你打得落花流水。

什麼是「網路禮儀」

「網路禮儀」是在網路時代出現的新語詞，意思是在網路上表現得守規矩、有禮貌。右方是一些重要的網路禮儀➡

1. 不要在網路上使用憤怒或無禮的文字辱罵別人。

2. 不要在網路上爭執、起衝突，這種行為叫做「網路論戰」。

避免誤會

在真實世界和別人説話時，很容易讓對方了解自己的意思。這是因為我們説話的方式和肢體語言，能讓別人知道我們是不是在開玩笑；但在網路上，沒辦法使用這些視覺輔助。因此，如果你在反諷或是開玩笑，最好要説清楚。比方説，在句子最後加上圖形或文字表情符號（例如;-)），就能讓你的意思變得更清楚。

我是說：今天，
我們要在遊戲裡把你打得
落花流水！

3 在按下「送出」之前，先檢查一下你想表達的意思是否清楚。

4 尊重別人的隱私。

5 分享你的知識，幫助不知道規則的新手。

友善待人，不懷惡意

網路世界的面貌，是由世界各地的數位公民所決定。

我們的言論和行為，造就了廣大的數位社群文化，
從這個角度來看，數位社群就跟真實世界一樣。
然而，有時候我們會覺得在網路上能夠躲起來，
所以更有可能對別人說出不會當面說的話。

蘇西今天才得了三分，
她根本不懂怎麼揮棒！
嗯……也許這麼說有點苛薄，
我該張貼出去嗎？

別急著批評

在網路上，你能又快又輕鬆的張貼批評某人或某事的訊息、評語或文章，但是你希望別人這樣對待你嗎？身為好的數位公民，要能在說出沒經過思考或苛薄的言論之前，先停下來想一想。有時候，你在寫下某些言論時，以為沒什麼大不了，但張貼到網路上後，卻可能造成意想不到的影響。

什麼是「網路流氓」

網路流氓就是在網路上說別人壞話的人。他們常常在聊天室和討論區默默等待，到了適當的時機時就攻擊別人。有些網路流氓認為自己沒有做錯什麼事，有些則是因為在網路上可以匿名而變得膽大包天。不過，網路流氓還是會不小心留下一些蛛絲馬跡，所以要找到他們其實很容易。

網路新聞

成為數位公民的好處之一，就是一天二十四小時都能接觸到新聞。

每當有新聞事件發生，幾分鐘內報導就會出現在網路上。
有時候，消息會先在社群網站中傳開，而不是由傳統媒體散播出去。
然而，聰明的數位公民知道不能輕易相信在網路上讀到的東西，
並且慎選消息來源。

我的報紙呢？我得知道世界上發生了什麼事！

傳統新聞數位化

傳統的媒體，像是報紙、電視和廣播，現在都有網路新聞。他們會雇用經過專業訓練的記者來蒐集、報導新聞，而且能較不受到政治家或企業家的影響，可以做出相對中立的報導。

新興的網路新聞媒體

在網路時代，任何能上網的人都可以報導新聞。社群網站會為成員張貼新聞報導；微網誌服務常常比傳統媒體更快貼出新聞快報。不過，社群網站並不像專業新聞組織是由受過訓練的記者所組成，所以他們報導的新聞不一定可靠。

嗚……
怎麼了？
過去一小時內，就有一千篇報導湧進我的「新聞訂閱」收件匣裡。我要怎麼把這些全看完啊？

資訊爆炸的時代

網路上大量的新聞報導可能令人感到應付不來。許多可怕的天災、戰爭和威脅生命的事件，更可能會讓人覺得世界快崩解了。不過，打從以前，這類事件就一直在世界各地發生，差別只在於現在我們幾乎都能馬上從網路上得知消息。

小心假新聞

身為現代的數位公民，常常會看到錯誤的新聞報導，這就叫做「假新聞」。

寫假新聞的人，目的是想誤導大家。有些人為了金錢利益而發布假新聞；有些人則是為了打擊對手，在選舉期間散布假消息。如果有很多人相信這些假新聞，可能會造成嚴重的後果。不過，只要遵循以下的判讀訣竅，就能輕易辨識假新聞。

你有沒有看到新總統當選的事？
有啊，如果不是另一位參選人有很多負面新聞，當選人可能就不是他。

不要只看標題

假新聞常會用聳動的標題，而且經常使用驚嘆號來吸引大家的注意。但是只要繼續往下看，就會很快發現這則報導其實不是真的。

了解新聞的來源

讀報導時，必須注意它最初是在什麼網站上刊登？是新聞媒體的真網站，還是網址看起來很像真實新聞媒體的假網站？檢查網站中「關於我們」的介紹，來確認網站是真是假。如果聯絡方式只有一個簡單的email，就有可能是假網站。

確認作者是誰

在搜尋引擎中輸入作者的名字，馬上就能查出對方是不是真正的記者——甚至是不是真人。

你要去哪裡？
有篇文章寫說全世界的
冰淇淋都要缺貨了，
所以我要趕快去買……
那不是新聞，是廣告！
不過，我現在倒是很想吃
巧克力冰淇淋。

有無錯字

只要看到錯字和雜亂無章的排版，就可知道這則新聞報導或張貼的網站是出自外行人之手。

確認其他來源

其他的新聞媒體也報導了這篇新聞嗎？報導中有引用別人說的話嗎？引用的發言是真的嗎？發言的是不是真人？只要利用搜尋引擎尋找這些發言、人名和消息，很容易就能查出來。如果搜尋引擎找到的結果只有同一篇報導，很有可能就是假新聞。

是新聞還是廣告

有時候，廣告會偽裝成新聞，並且出現在真正的新聞網站上。這並不是假新聞，但很容易讓人誤以為是真新聞。這類廣告通常會標示「廣告」或「贊助商內容」，但不一定所有廣告都會標示。

我的「個人品牌」

熱門的社群網站都很好認，因為他們把自己當成品牌來行銷。

這表示他們的商標、名稱和用色很容易辨識，而且專屬於他們的網站。
不過，你知道嗎？當你使用社群網站時，你也成為一個「個人品牌」呢！
那麼，你是什麼樣的品牌呢？

在網路上搜尋自己的名字

你有沒有試過在搜尋引擎上輸入自己的名字，看看會出現什麼內容？你可能會找到一些同名的人，也可能會連結到你的照片、部落格和你曾張貼到網路上的其他內容。所有網路上關於你的資訊，合起來就成為你的「數位身分」。

管理你的數位形象

你的數位身分，是由網路上與你姓名相關的所有內容所組成，你可以將這些內容視為個人品牌的一部分。一定要讓你的品牌形象保持積極正面，只讓人看到你最好的一面，因為任何東西一旦上了網路，就幾乎無法完全刪除乾淨。所以，記得只張貼你樂意讓全世界看到的東西。現在你可能覺得一張丟臉的照片沒什麼大不了，但或許將來有一天會對你造成影響。

你為什麼面帶笑容？
我剛剛查了自己
在網路上露出的資訊。
然後呢？
我的形象很好呢！

在網路上凝聚力量

真實世界中的少數團體和弱勢族群，
能在網路世界中團結在一起。

他們可能是不同種族、宗教背景，或有特殊需求及不一樣的生活方式，
如果能在網路上找到跟自己背景相近的朋友，
就能讓這些經常感到孤單、處於社會邊緣的人感到被接納。

特殊需求者的幫手

網路是讓有特殊需求的人，可以變得更加自立的工具。舉例來說，聊天軟體和即時通訊程式對聽障人士而言，是很有用的科技工具。在網路出現之前，聽障人士因為無法使用電話，必須靠傳真機來進行遠距離通訊。現在，網路能讓聽障人士和他人一樣，毫無時間隔閡的快速傳訊。

弱勢族群能夠彼此連結

真實世界是由幾百萬個不同的弱勢族群所組成。弱勢族群來自與主流社會不同的團體，有著各種不同的宗教、種族或文化背景。例如，他們的性取向或性別認同可能和多數人不一樣，像是同性戀、雙性戀及跨性別（LGBT）族群。在現實生活中，他們可能經常覺得受到孤立和歧視；然而，社群網站能幫助他們彼此連結，更能團結一致向社會發聲，這對於打擊社會上的不寬容很有幫助。

本地
聽障人士社群
伊絲拉，
這裡有個為我們這樣
的聽障人士設立的
社群網站。

尋找支持

假設你摔斷腿或生重病，又或者只是情緒低落，想找其他有相同情況的人尋求精神上的支持，可以在網路上找到這類互助團體。當你找到處境相同的人，會覺得好過許多，也比較不會感到孤單。

讓世界變得更小

數位公民能透過社群網站遇見並進一步了解世界各地的人。

不論對方是什麼國籍、膚色或宗教，數位公民知道和所有人都要和平共處。正因為如此，網路世界能讓真實世界變得更團結、更寬容。

跨越地域和國界

社群網站讓住在偏遠地區的人也能和其他地方的人溝通。雖然目前世界各地並不是都能連上網路，不過衛星科技正在將網路推廣到許多之前到不了的角落。數位公民相信所有人都應該要能接觸到網路，網路的普及也有助於我們了解在地球各個偏僻角落人們的生活方式。

以寬容的態度來理解他人

全世界的數位公民都明白，大家要攜手合作，才能讓網路和真實世界都變得更美好。當我們不信任或不喜歡來自不同國家、文化的人，通常是因為不了解對方。不過，網路能幫助打破藩籬，讓大家明白世界各地的人其實都一樣。教導大家用寬容的態度來理解他人，正是全球的數位公民改變世界的方式！

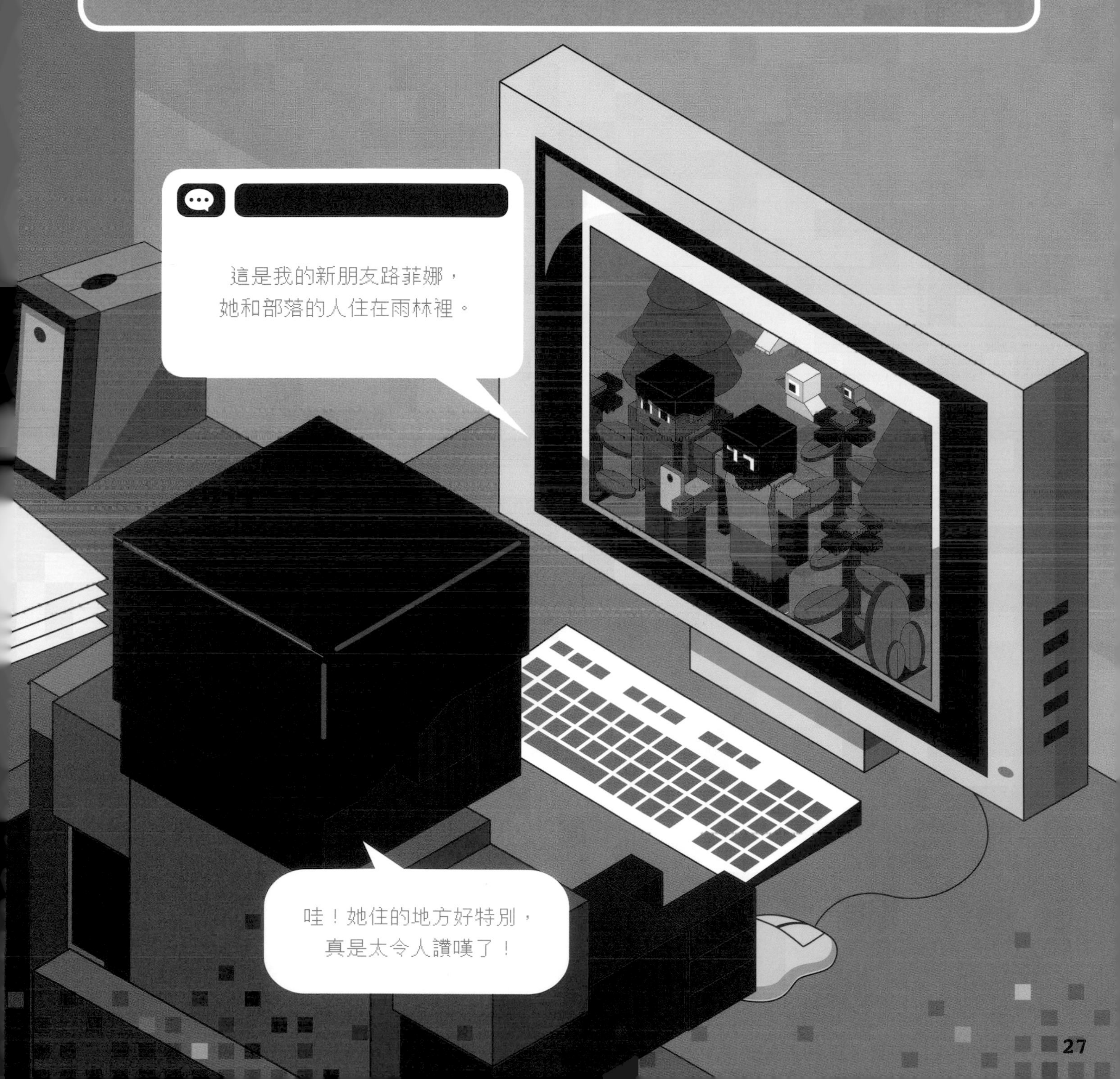

這是我的新朋友路菲娜，
她和部落的人住在雨林裡。
哇！她住的地方好特別，
真是太令人讚嘆了！

數位知識小測驗

在你看完這本書之後，對於社群媒體有什麼感想呢？

你學到了多少東西，又能記得多少東西呢？
做做看這個小測驗，完成後計算總分，就能知道囉！

Q1 某些大人的社群網站要求成員幾歲以上才能加入？

a. 13
b. 14
c. 12

Q2 哪一個是大家在網路上用文字對談的地方？

a. 討論區
b. 聊天屋
c. 市政府廣場

Q3 在你的社群網站上，要從哪裡選擇誰能看到你的貼文？

a. 公共設定
b. 隱藏設定
c. 隱私設定

Q4 要求大家在網路上守規矩、有禮貌的規定叫做什麼？

a. 網路禮儀
b. 馬路禮儀
c. 網羅禮儀

Q5 在社群網站上爭執、起衝突，這種行為叫做：

a. 網路辯論
b. 網路論戰
c. 網路戰爭

Q6 什麼是「數位身分」？

a. 一張有姓名、地址和照片的證件
b. 你在遊戲網站上的化名
c. 網路上所有關於你的東西

Q7 一旦把某樣東西貼上網之後，就很難做什麼？

a. 完全刪除乾淨
b. 用大人的手機開來看
c. 在網路上散播開來

Q8 數位公民覺得什麼事很重要？

a. 所有人都應該要能使用網路
b. 對所有在網路上的人寬容
c. 以上皆是

1分～4分：
是個好的開始，不過再做一次測驗吧！看看你能不能得4分以上。

5分～7分：
表現不錯喔！現在，試試看你能不能通過《為什麼我要認識網路人權？》書後的小測驗。

8分：
恭喜你得滿分！你是天生的數位公民喔！

答案　1.a　2.a　3.c　4.a　5.b　6.c　7.a　8.c

詞彙表

應用程式

簡稱為APP，智慧型手機、平板電腦等行動數位裝置專用的程式。

虛擬頭像

用來在網路上代表自己的圖示或圖像。

封 鎖

一種阻止別人在網路上傳送惡意訊息給你的方式，或是被阻擋、不能上某個網站。

網路霸凌

在網路上，針對個人或群體進行惡意、重複且含有敵意的行為。

網 路

一個巨大的電子關係網，讓全世界上億臺電腦能互相連結。

上 網

透過數位裝置連結到網路。

隱私設定

社群網站上的控制選項，讓你能決定誰能連結到你的個人檔案與觀看你的貼文。

化 名

又叫做「使用者名稱」，是能用來隱藏真實身分的假名，用在網路帳號上。

搜尋引擎

一種電腦程式，能用你輸入的字詞在網路上找出相關資訊。

智慧型手機

能夠連線上網的手機。

社群網站

讓使用者能用來在網路上分享內容與資訊的網站。

信任的大人

你熟悉且信任的大人，能幫助你處理所有和網路相關的問題。

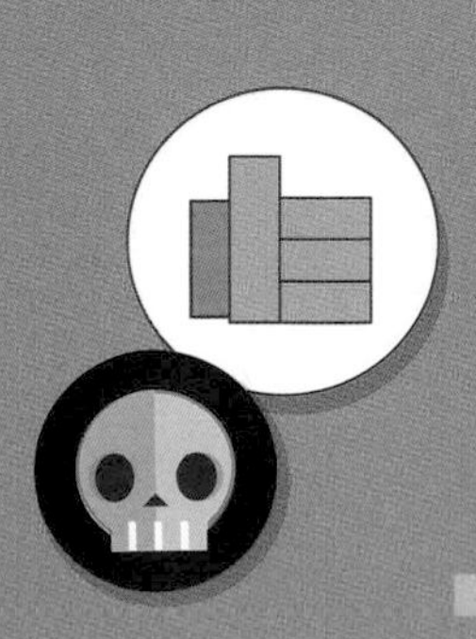

延伸資訊

社群媒體其實跟我們的生活息息相關，不僅用來娛樂、連繫他人、交換訊息外，現在更是出現許多不同功能取向的社群網站，以下兩點分享：

以學習為導向的社群媒體

許多學校團體都有自己的學習社群，坊間更有許多學習導向的社群媒體（大多需付費），即購買課程、於線上觀看課程，並與同一課程的同學或開課老師互動與討論。

以關注焦點為導向的社群媒體

需要一些育兒資訊的家長，可能就會加入有辦親子活動、育兒迷津指點的家長社群，在其中就能獲得許多資源，也能在遇到困難時跟社群中的夥伴詢問。

索 引

（依筆畫、注音排列）

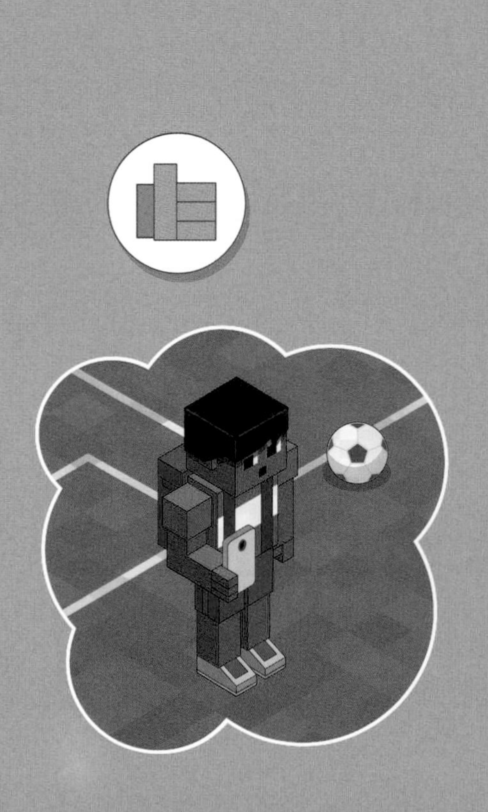